Sylvie Baussier

Les religions d'hier et d'aujourd'hui

LES ESSENTIELS MILAN JUNIOR

Sommaire

Introduction

Toutes différentes

Un lien entre les hommes

Une source de conflits

Pour les plus curieux

Les religions,
une clé pour comprendre le monde

L'unité sous la diversité

Tu sais qu'il existe de nombreuses religions. Certaines ont disparu et font partie de l'Histoire ; tu en entends parler dans les livres et à l'école. D'autres, très nombreuses, sont bien vivantes, et comptent parfois des millions de fidèles. Que peuvent-elles toutes avoir en commun ? Chacune possède des croyances, pratique des rites et pose de grandes questions : comment le monde a-t-il été créé ? pourquoi sommes-nous sur terre ? Le lien à Dieu, pour les religions monothéistes, ou aux dieux, pour les religions polythéistes, donne un sens à l'univers, et des valeurs aux hommes.

es religions autour de toi et dans ta vie

i tu es croyant, alors ta religion a un sens profond
t intime pour toi. Mais, même si ce n'est pas le cas,
u comprendras mieux notre société si tu vois le rôle
que les religions y ont joué dans le passé, et y jouent
toujours. L'église de chaque village, les peintures,
notre calendrier, des fêtes comme Noël ou Pâques,
tout nous parle de religion dans notre vie de tous
les jours ! Certaines sociétés, dans le monde, se sont
même entièrement construites autour de la leur, comme
en Inde...

Comprendre le monde, apprendre la tolérance

Les religions provoquent souvent des conflits et des guerres.
Il arrive qu'une religion se brise en plusieurs courants qui
ne s'entendent plus. Et, au nom de la religion, des hommes
en ont massacré d'autres et continuent à le faire... Comment
sortir de toute cette violence qui secoue le monde et dont
tu entends parler chaque jour aux informations ? Que peuvent
faire les États ? Et toi, que peux-tu faire dans ta vie quotidienne pour que la tolérance, la vraie, gagne du terrain ?

Une grande diversité

Certaines religions ont disparu depuis longtemps : celles des Grecs anciens, des Égyptiens... D'autres religions sont bien vivantes : tu es peut-être catholique, tu as sans doute des copains musulmans ou juifs...

Aquarelle représentant Babylone : derrière le mur d'enceinte se trouve la ziggourat, immense temple en brique crue de 90 mètres de haut.

Gudea le Babylonien

Gudea vivait à Babylone, en Mésopotamie (l'actuel Irak), au Ier millénaire av. J.-C. Il craignait le grand Mardouk, dieu de sa cité et roi des dieux, ces dieux immortels qui ressemblaient à des hommes, mais très beaux, très braves, très grands... Une splendide ziggourat dominant la ville lui était consacrée. Gudea se rendait parfois dans un temple plus modeste pour y déposer des offrandes de nourriture.

Kurkutji l'Aborigène

Kurkutji vivait en Australie il y a quelques siècles. Quand il eut 12 ans, les hommes de sa tribu le séparèrent de sa mère et lui firent subir une initiation secrète. Ils lui enseignèrent leur savoir sur les ancêtres sacrés de la tribu, qui vivaient au « temps du rêve ». À présent, il était un homme. Les Aborigènes ont été décimés par les Européens dès la fin du XVIIIe siècle. Ils luttent pour maintenir leur culture vivante.

Le savais-tu ?

Polythéisme, monothéisme

Les religions qui comprennent plusieurs dieux sont dites polythéistes, même quand il existe un roi des dieux, comme Zeus pour les Grecs. Les religions où l'on croit en un dieu unique, personnel, infini, inconnaissable, sont dites monothéistes. Ce sont le judaïsme, le christianisme et l'islam.

Marie est catholique

Marie vit en France, en 2003. Elle est née dans une famille catholique. Quand elle était toute petite, ses parents l'ont emmenée à l'église pour la baptiser. Elle va au catéchisme pour apprendre l'histoire de Jésus-Christ, le fondateur de sa religion, et elle va parfois écouter la messe le dimanche matin. Elle croit qu'après la mort l'âme de ceux qui ont été justes s'en va près de Dieu, au paradis.

Kandour est hindou

Kandour vit en Inde, en 2003. Chez lui, il y a un petit autel avec des statuettes et des images de plusieurs dieux de sa religion : Shiva le bienfaisant, Ganesha, le dieu à tête d'éléphant… Son père leur fait souvent des offrandes de fleurs. Kandour pense qu'après sa vie présente il en vivra d'autres : cela s'appelle les réincarnations. Il a déjà fait un pèlerinage au bord du Gange, un des plus grands fleuves sacrés de son pays.

Femmes hindoues se baignant dans le Gange, à Bénarès, ville sainte de l'hindouisme.

Religion

Ce mot vient peut-être du latin *religare*, qui signifie « relier » : une religion est en effet constituée de l'ensemble des rites et des croyances qui relient le monde visible au monde invisible, les humains aux dieux.

Le Gange est sacré

Ce fleuve est symbolisé par une déesse nommée Ganga. La Ganga, fleuve céleste, est descendue sur terre pour abreuver les hommes et les purifier. C'est pourquoi celui qui se baigne dans le Gange est lavé de toute impureté.

Messe : voir définition p. 25

Pèlerinage : voyage vers un lieu saint.

Rêve (temps du) : pour les Aborigènes d'Australie, c'est l'époque à laquelle leurs ancêtres mythiques ont créé toutes choses.

Ziggourat : sorte de temple que bâtissaient les Mésopotamiens, en forme de pyramide à étages successifs de plus en plus petits.

Des structures communes

Les religions sont très différentes les unes des autres. Pourtant, chacune tente de créer, à sa manière, un lien entre les hommes et un univers mystérieux, invisible, où règne le divin.

Le savais-tu ?

La transmission de la tradition

Toutes les religions nées dans des civilisations connaissant l'écriture ont fait l'objet de textes : mythes racontant l'histoire des dieux (chez les Grecs, les Égyptiens...), textes sacrés (la Bible, le Coran) inspirés par Dieu ou révélés directement par lui. D'autres religions se sont transmises oralement, sans textes écrits, de génération en génération (religions d'Océanie, des Indiens d'Amérique...).

Un Dieu ou des dieux

Les dieux peuvent prendre une forme animale, comme souvent en Égypte, ou une forme humaine, comme en Mésopotamie ou chez les Grecs. Le Dieu unique d'une religion monothéiste peut être si mystérieux qu'il est impossible de le représenter, comme dans le judaïsme et l'islam. Mais le dieu est toujours une puissance surnaturelle avec qui il faut entrer en relation pour que l'ordre règne sur le monde.

Des rites et des prêtres

Pour entrer en relation avec ce Dieu ou ces dieux, les hommes doivent effectuer des gestes accompagnés de paroles précises : ce sont les rites. Ils peuvent faire des offrandes, prier, faire revivre un moment

Eucharistie : lors de ce sacrement catholique, le prêtre donne l'hostie aux fidèles.

important de l'histoire d'un personnage sacré… Les prêtres sont ceux qui servent d'intermédiaires entre les hommes et les dieux.

Des lieux sacrés

Chaque religion a ses lieux sacrés. Certains sont des éléments naturels, comme le mont Olympe pour les Grecs anciens ou le fleuve Gange pour les hindous. D'autres sont construits par l'homme : ce dernier délimite un emplacement et y bâtit un temple ou un autel pour accomplir ses rites. Jérusalem est une ville sainte à la fois pour les juifs, les chrétiens et les musulmans.

Jérusalem, carrefour des religions monothéistes.

Des valeurs

Pour savoir si nos actions sont bonnes ou mauvaises, nous pouvons nous servir de notre religion comme d'un guide. Déjà, dans l'Égypte ancienne, le mort dont la vie avait été juste prenait place auprès d'Osiris ; sinon il était dévoré par un monstre et mourait une seconde fois. Le bouddhisme enseigne que seule une vie juste peut nous éviter la souffrance. Le christianisme encourage l'amour du prochain.

Jérusalem

L'histoire de cette ville située en Israël et en Palestine est profondément liée à l'histoire des trois religions monothéistes. C'est là que se trouvait le premier Temple des juifs, là que, pour les chrétiens, le Christ est mort et ressuscité, là encore que, selon l'islam, le prophète Muhammad est monté au ciel.

Le pape

Il est l'autorité suprême du catholicisme, qui est une des branches du christianisme. Au-dessous de lui se trouvent les évêques, puis les simples prêtres.

dico

Mythe : histoire qui raconte les faits et gestes de personnages divins dans des temps reculés et dont personne n'a été témoin. Les mythes sont l'objet de croyances et sont toujours liés à une religion.

Prophète : homme qui parle au nom de Dieu parce qu'il a été inspiré par lui.

Temple : voir définition p. 13

Les religions disparues

Il existe des religions partout dans le monde. Dans chacune, les hommes adorent des dieux. Ils leur construisent des temples, leur font des offrandes. Ils racontent leur histoire dans des mythes. Voici quelques religions aujourd'hui disparues.

Le savais-tu ?

Durant la préhistoire

Les hommes de la préhistoire pratiquaient des rites dont les archéologues ont retrouvé des traces. Nous savons, par exemple, qu'il y a 100 000 ans ils enterraient déjà leurs morts avec des parures ou des offrandes, comme s'ils croyaient en une vie après la mort. Les peintures d'animaux, trouvées dans les grottes ornées, indiquent peut-être un culte voué aux animaux.

En Égypte

Les Égyptiens adoraient particulièrement Rê, le dieu-soleil dispensateur de chaleur et de lumière, et Hapy, le dieu du Nil en crue (illustration *ci-contre*), grâce auquel les champs étaient fertiles. Ils croyaient en une vie après la mort : l'histoire du dieu Osiris, ramené à la vie par sa femme, la magicienne Isis, et par le dieu-chacal Anubis, l'embaumeur, en est le symbole. Les pyramides étaient construites pour accueillir le corps des pharaons momifiés, que des textes écrits en hiéroglyphes guidaient dans leur voyage vers l'au-delà.

En Grèce

Les dieux, depuis le mont Olympe, régnaient sur la nature : Zeus, leur roi, était le dieu du ciel, Poséidon celui de la mer, Héphaïstos celui du feu… Les humains leur consacraient des fêtes publiques, comme les jeux Olympiques, leur bâtissaient des temples et les nourrissaient du fumet des animaux qu'ils leur sacrifiaient.

Chez les Aztèques

Les Aztèques, peuple d'Amérique centrale, croyaient que quatre univers, ou « soleils », avaient existé avant le leur, et que chacun avait été détruit par Quetzalcoatl, le « Serpent à plumes », et par d'autres dieux. Pour contenter les dieux, leur donner de l'énergie et éviter une nouvelle catastrophe, les prêtres leur offraient du sang de victimes humaines.

Chez les Vikings

Les Vikings habitaient au nord de l'Europe, dans une région où il fait très froid. Guerriers et cultivateurs, ils croyaient en des dieux de la fertilité, comme Freyr, et en des dieux sanguinaires comme Odin. Les guerriers morts sur le champ de bataille étaient accueillis par Odin au Walhalla, sorte de paradis, où ils festoyaient sans cesse. Les dieux puissants avaient pourtant des ennemis : des géants de glace qui avaient juré leur perte.

Les jeux Olympiques

C'étaient des jeux organisés tous les quatre ans, à partir de 776 av. J.-C., en l'honneur de Zeus. Ils avaient lieu à Olympie. Des athlètes venus de toute la Grèce s'y affrontaient à la course, au saut...

De quoi sont faits les hommes ?

Les Égyptiens pensaient que le dieu Khnoum les avait façonnés avec de la terre sur son tour de potier ; les Aztèques croyaient que, pour les créer, les dieux avaient fait couler un peu de leur sang sur les os réduits en poudre des humains du quatrième « soleil ».

dico

Embaumeur : chez les Égyptiens, celui qui prépare le corps du mort puis l'enroule dans des bandelettes afin qu'il reste intact pour son voyage dans l'au-delà.

Mythe : voir définition p. 11.

Temple : édifice consacré au culte d'une divinité.

Divinité viking : Odin.

Les religions monothéistes

Il existe de nombreuses religions vivantes. Trois d'entre elles professent la foi en un Dieu unique.

Christianisme : statue représentant Jésus (Cuba).

Le judaïsme

Cette religion est née il y a quatre mille ans. Le prophète Abraham a instauré l'alliance entre son peuple, les Hébreux, et Dieu (Yahvé). Les Hébreux reçoivent de Dieu le pays de Canaan (Palestine et Israël), mais la famine les contraint à fuir en Égypte, où ils deviennent esclaves. Le prophète Moïse les libère et les ramène dans leur pays. Après la destruction de Jérusalem par les Romains, en 70 apr. J.-C., les Hébreux fuient en masse : c'est la Diaspora. La lecture des textes saints (en particulier la Torah) tient une grande place dans les rites juifs. Les rabbins interprètent et transmettent ce message de Dieu.

Le savais-tu ?

La Bible

La partie appelée « Ancien Testament » a été écrite avant le Christ. Ses textes sont en grande partie communs aux juifs et aux chrétiens. Le « Nouveau Testament », lui, rapporte pour l'essentiel la vie et les paroles du Christ.

Le christianisme

Jésus, le fondateur de la religion chrétienne, est le fils de Dieu. Les événements de sa vie constituent en eux-mêmes l'essentiel de son enseignement, rapporté par ses disciples. Les chrétiens croient que le Christ est venu sur terre pour sauver les humains, et qu'il a ressuscité après avoir été crucifié. L'amour de Dieu pour les hommes, l'amour mutuel que les hommes doivent se porter tiennent une place centrale dans cette religion.

Les Églises chrétiennes

Des divergences au sein de la communauté chrétienne ont provoqué son éclatement. D'abord en 1054, entre l'Église orthodoxe et l'Église catholique romaine. Puis, au XVIe siècle, des réformateurs (Martin Luther, Jean Calvin) créent des Églises protestantes qui se séparent de l'Église catholique.

L'islam

Les gens qui croient en la religion islamique sont appelés les musulmans. Muhammad (aussi appelé Mahomet en Occident) est né à La Mecque vers 570 apr. J.-C. Il est le prophète de l'islam : à partir de 610, l'ange Gabriel lui transmet la parole d'Allah, le Dieu unique. Ces révélations sont contenues dans le Coran, qui comporte des indications sur la manière de prier ou de jeûner, des lois de vie… Il existe deux grandes branches dans l'islam, nées d'un désaccord portant sur la succession de Muhammad : les sunnites et les chiites.

Islam : Muhammad, miniature, musée de Topkapi (Istanbul, Turquie).

Le Coran

Le Coran est, pour les musulmans, la parole même de Dieu. Il est rédigé en arabe classique. Les 114 chapitres, ou sourates, qui le constituent sont classés du plus long au plus court.

dico

Abraham : ce patriarche aurait vécu vers 2000 av. J.-C. Les juifs, les musulmans et les chrétiens le considèrent comme leur ancêtre.

Alliance : pacte conclu entre certains hommes (Noé, Abraham) et Dieu. Selon les juifs, une alliance unit Dieu et leur peuple ; selon les chrétiens, un pacte est passé entre Dieu et ceux qui croient en Jésus. Dans la Bible, « Testament » veut dire Alliance.

Crucifié : qui a été attaché sur une croix pour y mourir. C'est de cette façon qu'est mort Jésus.

Prophète : voir définition p. 11.

Torah : nom donné par les juifs à certains livres de l'Ancien Testament : la Genèse, l'Exode, le Lévitique, les Nombres et le Deutéronome.

D'autres religions vivantes

Il existe beaucoup de religions. Certaines sont pratiquées par des millions de fidèles, d'autres par quelques milliers seulement.

Le savais-tu ?

Les religions de la Chine

Laozi, sage du Ve siècle av. J.-C., s'est appuyé sur des traditions chinoises très anciennes pour fonder le taoïsme : chaque homme doit suivre sa voie, le « tao », pour devenir immortel, en mettant en relation harmonieuse yin et yang. Confucius, lui, recommande aux hommes de respecter leurs parents et de pratiquer la modération en tout. Ces deux sagesses, devenues des religions, cohabitent en Chine avec le bouddhisme.

L'hindouisme

Cette religion est apparue en Inde plusieurs siècles av. J.-C., sur les bases de la très ancienne religion védique. Elle s'appuie sur des textes sacrés, dont les Veda, composés en langue sanscrite à partir de 1500 av. J.-C. Une divinité à la triple forme est au centre du panthéon : cette trinité se compose de Brahma, Shiva et Vishnou. Les hindous pensent qu'après la mort l'âme s'en va dans un nouveau corps. On peut échapper à ces réincarnations successives en menant une vie juste et en aimant les divinités d'un amour total.

Le bouddhisme

Siddhartha Gautama, né vers 500 av. J.-C., était un riche prince d'Inde du Nord que son père avait préservé de toute souffrance. Un jour, il abandonne femme et fils et part en quête de la vérité : pourquoi la maladie, pourquoi la mort ? C'est en méditant sous un figuier qu'il reçoit l'illumination : si l'homme parvient à mener une vie juste et à se libérer de tout désir, il échappe au cycle des réincarnations. Gautama devient alors Bouddha, l'« Éveillé ». Il a ensuite été considéré comme un dieu, et sa sagesse comme une religion.

Yorubas du Nigeria (août 1973).

La tradition chez les Yorubas

Les Yorubas habitent au Nigeria, au Bénin et au Togo, en Afrique noire. Ils croient en un dieu unique, qui demeure loin des hommes, et en une foule d'autres dieux moins importants mais plus familiers auxquels ils rendent un culte : Shango, dieu du tonnerre, Eshu, le rusé au savoir magique…

Le syncrétisme

Les Yorubas ont été très influencés par les croyances des chrétiens et ont créé une sorte de mélange entre elles et leur tradition ancestrale. Les Noirs emmenés en Amérique comme esclaves ont emporté avec eux ce mélange, qu'on appelle syncrétisme. C'est l'origine de certaines religions brésiliennes comme la macumba, où ceux qui entrent en transe incarnent un dieu.

Le jaïnisme

Cette religion est née en Inde au VIe siècle av. J.-C. Jina, le « victorieux », s'oppose à l'hindouisme. Il cherche une sagesse qui mette fin au cycle des réincarnations.

La non-violence

Les jaïns ne doivent tuer ni homme ni animal. À tel point que les religieux marchent avec un voile devant la bouche pour ne pas risquer d'avaler par mégarde un insecte.

dico

Panthéon : ensemble de tous les dieux d'une religion.

Veda : « savoir » ; ces textes sacrés de l'hindouisme racontent comment le monde a été créé et comment les rites doivent se dérouler.

Ying et yang : depuis des millénaires, les Chinois pensent que deux énergies se trouvent dans l'univers et se complètent : le yin, énergie féminine et lunaire, et le yang, énergie masculine et solaire.

Chronologie des religions

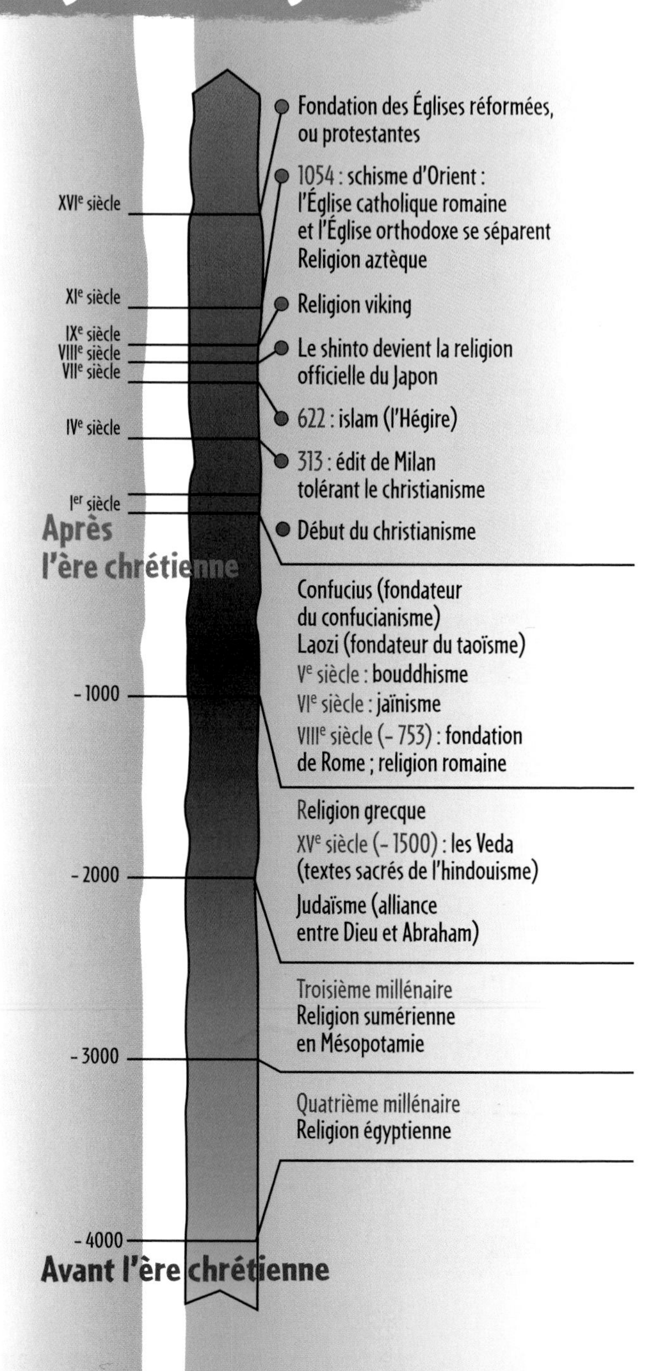

Carte des religions dans le monde

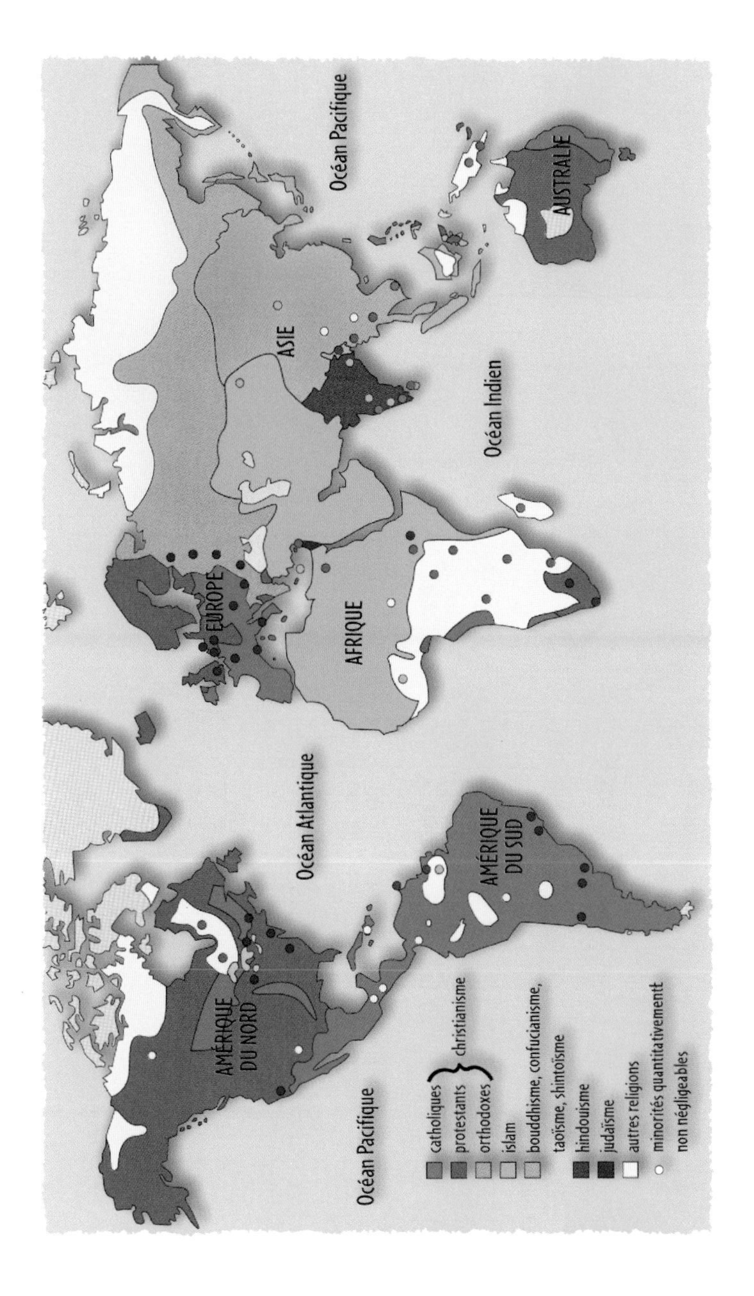

Des traces autour de toi

En France, le catholicisme a longtemps été la religion officielle, celle des rois et de presque tous leurs sujets… Notre culture en est imprégnée : tu peux en voir des traces tout autour de toi.

Le savais-tu ?

Les religions en France

La France est un pays en majorité catholique, même si le nombre de pratiquants est en baisse, comme c'est aussi le cas en Italie, en Espagne… En 1994, 85 % des Français étaient baptisés, mais seulement 15 % étaient pratiquants, même de façon occasionnelle. La France compte aussi des juifs, des protestants, des orthodoxes, des musulmans, des hindous, etc., et des athées, c'est-à-dire des gens qui ne croient pas en un dieu.

Imagine…

Longtemps, la religion a rythmé la vie quotidienne. Dans les campagnes, les gens se repéraient dans le calendrier par les fêtes des saints et les dates de Pâques, Noël… Beaucoup allaient à la messe le dimanche et rendaient grâces à Dieu pour la nourriture des repas. Et la Bible a longtemps été l'un des livres les plus lus !

Des églises partout

Quand un enfant dessine un village, il place souvent une église au milieu. Il existe des églises depuis le IVe siècle : c'est là que les chrétiens se rassemblent pour pratiquer leur culte (*ecclesia* veut dire « assemblée »). Les églises sont traditionnellement en forme de croix. Selon les époques, elles peuvent être de plusieurs styles : roman ou gothique. Il en existe aussi des modernes, en béton et en verre.

Art chrétien : église de type roman à Guebwiller, en Alsace.

La peinture religieuse

Quand tu visites un musée, ou quand tu regardes un livre d'art, tu peux voir de nombreuses peintures inspirées de l'histoire religieuse. Par exemple, la naissance de Jésus, qu'on appelle Nativité, a été représentée par de nombreux peintres comme Titien, Memling, de La Tour. Mais il n'est pas facile de comprendre un tableau qui fait référence à des récits dont on n'a jamais entendu parler ! Connaître une religion permet de mieux apprécier une œuvre d'art qui en est inspirée.

Les arts au service de la religion

D'ailleurs, la finalité principale de tous les arts a longtemps été la religion, et pas seulement la beauté. L'art a, en effet, une fonction sacrée dans nombre de sociétés : les Égyptiens peignaient sur les tombes pour que leurs morts puissent passer dans l'au-delà, les Grecs construisaient des temples pour honorer Zeus ou Athéna… De même, en France, au Moyen Âge, les artisans sculptaient le bois ou la pierre pour célébrer Dieu et ses saints.

Art grec : temple de la Concorde, bâti par les Grecs à Agrigente (Sicile) au Ve siècle av. J.-C.

Une cathédrale, c'est quoi ?

C'est une église très importante, puisque c'est là qu'officie l'évêque, et non un simple prêtre. Une église cathédrale conserve son titre même quand il n'y a plus d'évêque à cet endroit.

dico

Gothique : style d'architecture qui a culminé au XIIIe siècle. Les églises et les cathédrales gothiques sont élancées et inondées de lumière à l'intérieur.

Messe : voir *définition p. 25*

Roman : style d'architecture pratiqué à partir de l'an 1000, et qui a précédé l'art gothique. Les églises romanes sont le plus souvent en pierre de taille, ont une forme de croix et leur plafond est en forme de voûte.

Saint : pour les catholiques, personne qui a été canonisée en raison de sa vie exemplaire.

La vie en société

Longtemps, la religion n'a pas seulement été un domaine parmi d'autres de la vie en société. Elle en était le fondement même, sous forme de lois et d'obligations diverses. C'est encore le cas dans certains pays.

Art hindou : tête de brahmane.

Les castes

En Inde, durant plus de deux millénaires, la société a été divisée en castes, groupes sociaux héréditaires définis d'après les croyances hindoues. En haut de l'échelle se trouvent les brahmanes, ou prêtres, puis les nobles et les guerriers, puis les commerçants et les agriculteurs, et enfin les serviteurs. Les hindous hors castes sont dits « intouchables » et exercent souvent des métiers impurs liés au sang, comme celui de bourreau. Le système des castes a été officiellement supprimé vers 1950, mais il demeure dans les faits.

Le savais-tu ?

À chacun son calendrier

Nous entrons dans le IIIe millénaire : l'an un est l'année de naissance supposée de Jésus (en fait, il serait né quatre ans plus tôt). Cette convention est désormais adoptée par tous les États. Mais d'autres religions calculent les années autrement. Par exemple, pour les musulmans, l'an un est celui de l'Hégire, lorsque Muhammad a quitté La Mecque pour Médine, en 622 apr. J.-C.

La loi islamique

Les sources sacrées de l'islam, le Coran et la Sunna, fournissent les bases de la Charia (le « chemin »), c'est-à-dire la loi islamique. La Charia s'occupe de ce qui concerne la famille, les héritages, la propriété, etc. : toute la vie de la société doit être conforme à la volonté de Dieu.

Islam : écolières dans une école religieuse.

Son application

Une dizaine d'États islamiques appliquent cette loi de façon très stricte, comme l'Arabie Saoudite ou le Soudan. Dans d'autres, comme la Turquie ou le Sénégal, le droit islamique a été abrogé, ce qui n'empêche pas ces deux pays de compter une majorité de musulmans. Le lien entre religion et pouvoir politique y est beaucoup moins fort que dans des pays comme l'Iran.

La laïcité

Elle repose sur la séparation du pouvoir politique et du pouvoir religieux. Les hommes politiques n'exercent pas de responsabilités dans le domaine religieux, et vice versa. C'est le choix qu'ont fait des pays aussi différents que la France ou la Turquie. La laïcité implique que des domaines de la vie en société tels que le droit ou l'enseignement ne soient pas soumis aux religions.

La séparation de l'Église et de l'État

En France, la séparation de l'Église catholique et de l'État date de 1905. La France est donc un État laïque depuis une centaine d'années. Tous les cultes peuvent y être pratiqués en toute liberté.

L'origine des castes

Le dieu Brahma a donné naissance aux castes lorsqu'il a créé le monde : les brahmanes sont la caste la plus pure, parce qu'ils sont sortis de la bouche du dieu ; les serviteurs, eux, sont sortis de ses pieds.

dico

Sunna : « tradition », texte sacré des musulmans contenant les paroles et les actes du prophète Muhammad.

La vie du groupe religieux

Dans chaque religion, il y a des fêtes et des commémorations, qui relient les hommes entre eux et renforcent les liens de la communauté.

Le savais-tu ?

Honorer Bouddha

Les bouddhistes vont en pèlerinage dans les lieux qui ont marqué la vie de Bouddha. Par exemple, ils se rendent à Bénarès, en Inde, où il a dispensé son enseignement pour la première fois. Là, dans les temples, ils se recueillent devant sa représentation.

Un passé mythique

Une fête religieuse est un moment où la vie de tous les jours s'arrête. Le temps prend une autre dimension. Que ce soit chez les Aborigènes d'Australie, chez les bouddhistes ou chez les chrétiens, les fêtes ont très souvent pour fonction de faire revivre un moment très ancien de l'histoire sacrée et de l'amener en quelque sorte dans le présent. Elles peuvent aussi célébrer un dieu, comme les jeux Olympiques en Grèce.

Noël

Cette fête a lieu tous les 25 décembre depuis le Ve siècle apr. J.-C. C'est celle de la nativité de Jésus-Christ, c'est-à-dire de sa naissance. Toutes les Églises chrétiennes la célèbrent. L'Église catholique marque cet événement par trois messes, dont celle de minuit. Pour nombre de gens, Noël a perdu de son caractère sacré et est devenu une fête des enfants, occasion de retrouvailles familiales et de cadeaux.

Christianisme : crèche de Noël, pour raconter la naissance de Jésus.

La Pâque juive

Pessah, la Pâque, signifie « passage » en hébreu. En effet, cette fête commémore un grand événement de l'histoire du peuple hébreu, raconté dans la Bible : Dieu a chargé le prophète Moïse de faire sortir son peuple d'Égypte, où il est retenu en esclavage, et de le ramener sur la terre promise de Canaan. Il fait s'abattre sur le pays des catastrophes, les « dix plaies » d'Égypte, si bien que le pharaon finit par accepter de laisser partir les Hébreux. La mer Rouge s'ouvre miraculeusement devant eux. La Pâque est célébrée par un repas en famille où l'on mange du pain sans levain, comme les Hébreux au moment de leur fuite.

Ramadan

Ramadan est le 9e mois du calendrier musulman. C'est aussi le nom des pratiques prescrites pendant ce mois. C'est pour les musulmans une période de jeûne : ils ne doivent ni manger ni boire entre le lever et le coucher du soleil. Ce rite a pour but de « brûler » les péchés des hommes et de se purifier. Une fête clôt le ramadan : les croyants vont prier à la mosquée et partagent un repas. C'est l'Aïd al-Fitr.

Pâques et Pâque

Il ne faut pas confondre la fête chrétienne de Pâques, qui célèbre la résurrection du Christ après la crucifixion, et la Pâque juive.

La Mecque

L'autre grande fête musulmane est le pèlerinage à La Mecque, en Arabie Saoudite. Tout croyant qui le peut doit effectuer ce pèlerinage au moins une fois dans sa vie.

Ci-contre : judaïsme, fête de Pessah aujourd'hui.

dico

Messe : cérémonie du culte catholique, qui a lieu dans une église. Au cours de la messe a lieu la communion, en mémoire du dernier repas du Christ, la Cène.

Pèlerinage : voyage vers un lieu saint.

Prophète : homme qui parle au nom de Dieu parce qu'il a été inspiré par lui.

La religion rythme la vie de l'individu

La naissance, le passage de l'enfance à l'âge adulte, le mariage et la mort sont marqués par des cérémonies dans de nombreuses religions.

Baptême chrétien

Le baptême est le premier des sacrements chrétiens. Chez les catholiques, il est donné à l'enfant peu après sa naissance, en l'aspergeant d'eau bénite. L'enfant, lavé symboliquement du péché originel, devient chrétien.

Rite d'initiation

Chez les Massaï, lorqu'ils ont 15 ans environ, les jeunes garçons sont séparés des femmes, sont circoncis puis deviennent de Jeunes Guerriers, sous la protection du dieu créateur Enkaï.

Mariage juif

Les futurs époux, tous deux de confession juive, se tiennent sous un morceau d'étoffe qui représente leur foyer à venir. Le rabbin bénit leur union devant l'assemblée.
Cette cérémonie a souvent lieu à la synagogue, mais elle peut aussi se dérouler dans une maison.

Crémation hindoue

Le corps est transporté en procession sur un bûcher, souvent au bord d'une rivière. Puis le fils du mort allume le feu. Une fois le corps brûlé, les cendres sont jetées dans l'eau. L'âme, délivrée, est prête à se réincarner.

Des désaccords à l'intérieur d'une religion

Il arrive souvent qu'une religion donne naissance à plusieurs courants différents. Dans certains cas, ils finissent par se combattre, comme des frères ennemis. Dans d'autres, ils cohabitent pacifiquement.

Le savais-tu ?

Une religion accueillante

Les Romains tenaient à ce que leur religion officielle soit suivie dans tout leur immense empire. Des prêtres étaient chargés d'y veiller. Mais cette religion officielle acceptait des accommodements : les Gaulois, par exemple, confondaient leurs propres divinités et celles apportées par les conquérants.

Pourquoi ces conflits ?

Une religion n'est pas une chose figée : comme tout ce qui est humain, elle évolue au fil du temps. Des divergences peuvent apparaître sur des points de dogme très théoriques, ou bien sur le nom d'un successeur à une fonction importante. Alors, malgré leurs croyances communes, les hommes s'opposent, au point que, parfois, un des courants crée une nouvelle religion, qui porte un nouveau nom.

Le mystère de la Trinité

Les débuts du christianisme sont marqués par des querelles de théologie : Dieu est-il à la fois le Père, le Fils (Jésus) et le Saint-Esprit, comme le soutiennent la plupart des Églises chrétiennes ? Jésus n'est-il qu'un homme, comme l'affirme Arius au IVe siècle apr. J.-C. ? Est-il à la fois homme et dieu, comme l'affirme Nestorius, et à sa suite l'Église d'Orient ? Ces points de dogme vont diviser l'Église chrétienne des premiers siècles.

Querelle sur la Trinité.

Ceux qui ont « protesté »

Au fil des siècles, l'Église catholique est devenue puissante et riche. Des abus sont commis : au XVIe siècle, on peut alléger les peines encourues dans l'au-delà pour ses péchés en donnant une somme d'argent... Cela est-il conforme à l'idéal de pauvreté du Christ ? Luther et Calvin ne le pensent pas. Leur révolte aboutira à la création des Églises réformées, qui s'appuient d'abord sur le message de l'Évangile. S'ensuivront de sanglantes guerres de religion.

Le protestantisme

Il comprend lui-même trois grands courants : le luthéranisme, le calvinisme et l'anglicanisme.

Églises réformées : Jean Calvin (1509-1564).

Chiites et sunnites

D'autres religions que le christianisme ont aussi éclaté en différents courants. Si tous les musulmans ont pour texte sacré le Coran et croient en un même Dieu, après la mort de Muhammad, ils ne sont pas tombés d'accord sur son successeur. Certains voulaient le choisir dans la famille du prophète : ce sont les chiites ; d'autres lui ont choisi un successeur extérieur : ce sont les sunnites, qui se montrent plus modérés dans la façon d'interpréter l'islam. Ils sont de loin les plus nombreux. Leur nom fait référence à la Sunna.

dico

Prophète : homme qui parle au nom de Dieu parce qu'il a été inspiré par lui.

Sunna : « tradition », texte sacré des musulmans contenant les paroles et les actes du prophète Muhammad.

Théologie : étude de la religion et de ses croyances par des personnes savantes qui font partie de cette religion.

Guerres et exterminations

Ceux qui sont imprégnés d'une croyance pensent parfois qu'ils possèdent l'unique vérité. Cette façon de voir, mêlée a des conflits d'intérêts, a été à l'origine de guerres et de massacres.

Manuscrit du XVIe siècle. Les Espagnols, menés par Cortés, se battent contre les Aztèques.

Chrétiens et Aztèques

En 1519, l'espagnol Cortés et ses soldats débarquent en Amérique centrale, sur le territoire des Aztèques. Les Espagnols sont chrétiens, les Aztèques pratiquent le sacrifice humain en l'honneur de leurs dieux. Les Aztèques prennent les Espagnols pour des dieux, les Espagnols prennent les Aztèques pour des barbares à christianiser d'urgence. Deux ans suffisent pour que l'empire aztèque soit anéanti et pillé.

Le savais-tu ?

Des dieux venus de l'eau

Des signes avaient annoncé aux Aztèques la prochaine venue de dieux. Aussi, quand ils voient ces hommes au visage blanc montés sur d'immenses cerfs (les chevaux), ils croient que ce sont eux...

Les Aborigènes

En 1788, les Européens commencent à coloniser l'Australie, à l'autre bout du monde. Sur ces terres immenses, les Aborigènes vivent en paix depuis des millénaires. Ils pratiquent une religion qu'ils se transmettent oralement et où la nature tient une grande place. Les Européens massacrent ces « sauvages » et s'approprient leurs terres, en conquérants absolus.

Tueries en Irlande

Depuis les années 1970, les affrontements et les attentats en Irlande du Nord ont fait plus de 3 000 morts et 35 000 blessés...

Ci-contre : affrontements entre catholiques et protestants irlandais (10 juillet 1996, Belfast ravagé après une nuit d'émeute).

L'Irlande ensanglantée

L'Irlande est une île en guerre depuis des siècles. En 1170, le roi d'Angleterre Henry II l'envahit. En 1541, Henry VIII veut imposer la religion réformée dans l'île catholique. En 1921, les conflits ne cessant pas, l'Irlande est coupée en deux : le Royaume-Uni garde le nord (1 million de protestants et 500 000 catholiques) ; au sud est créée une république indépendante catholique. Mais la paix n'est toujours pas au rendez-vous.

La Palestine

Cette région est un lieu de tensions très vives depuis longtemps. Elle a été divisée entre Israël, État fondé en 1948 et dont la population est en majorité juive, et des pays et territoires arabes, où la religion musulmane est la plus importante. L'éparpillement des territoires palestiniens, l'implantation de colonies juives dans ces territoires avivent des tensions qui sont à la fois religieuses (Jérusalem est une ville sainte pour les juifs et les musulmans) et géopolitiques (accès aux ressources en eau, nécessité pour les Palestiniens de travailler en Israël...).

La Shoah

Au cours de la Seconde Guerre mondiale, les nazis ont massacré environ 6 millions de juifs originaires des différents pays d'Europe occupés. Tragédie fondée sur l'antisémitisme, la Shoah (« catastrophe » en hébreu) ne cesse d'être une source de réflexion sur le devoir de mémoire et le danger que de telles barbaries se reproduisent.

dico *Antisémitisme : haine contre les juifs. Elle a conduit à leur interdire de pratiquer leur religion, mais aussi à tenter de les détruire.*

Le respect des différences

Dans chaque religion, il existe des personnes fanatiques, qui font preuve d'intolérance vis-à-vis des autres croyances, et des personnes tolérantes, qui respectent la religion d'autrui, même s'ils ne la partagent pas.

Le savais-tu ?

Déclaration universelle des droits de l'homme

« Toute personne a droit à la liberté de pensée, de conscience et de religion ; ce droit implique la liberté de changer de religion ou de conviction ainsi que la liberté de manifester sa religion ou sa conviction, seul ou en commun, tant en public qu'en privé, par l'enseignement, les pratiques, le culte et l'accomplissement des rites. » Article 18.

La liberté religieuse

La tolérance s'exprime au niveau des individus, mais aussi au niveau des pays. En France, chacun a la liberté d'exprimer ses opinions religieuses et de pratiquer ses rites. En Afghanistan, au contraire, les talibans, des islamistes radicaux qui avaient pris le pouvoir en 1996, interdisaient par exemple aux femmes de sortir seules dans la rue. Le fanatisme engendre souvent la violence, sous la forme de meurtres ou d'attentats. Certains sont même prêts à perdre la vie pour la cause qu'ils défendent.

Le dialogue entre les religions

Des rencontres entre représentants de diverses religions, comme par exemple des musulmans et des chrétiens, visent à faciliter le dialogue. Le Conseil œcuménique, lui, veut réunifier l'ensemble des Églises chrétiennes.

La tolérance dans ta vie quotidienne

Dans ta classe, un enfant est peut-être juif, un autre musulman, un troisième catholique, tandis que le quatrième ne croit pas en Dieu… Chacun a ses croyances, ses rites, comme ne pas manger de porc à la cantine. Tu dois respecter la religion des autres, comme ils doivent respecter la tienne. Même si quelque part dans le monde vos religions s'affrontent, ce n'est pas une raison pour te battre avec ton voisin, il n'y est pour rien ! Par contre, en France, l'école est laïque, et tu ne dois pas y afficher de signes religieux.

Les sectes

Cultiver la tolérance ne veut pas dire tolérer toutes les organisations qui affirment être des Églises. Sous couvert de religion, certaines personnes mal intentionnées cherchent à soutirer de l'argent aux faibles et aux isolés. Mais comment distinguer une secte d'une Église simplement minoritaire ? Une secte tente souvent de couper ses victimes de leurs relations amicales et familiales et dénigre la société pour mieux les isoler du monde extérieur.

Procession dans la rue d'adeptes de la secte AICK (Association internationale pour la conscience de Krishna), ici en Australie.

Ici et là-bas

Depuis l'an 2000, les violents affrontements qui opposent Juifs et Palestiniens au Proche-Orient ont aussi provoqué des incidents en France : la violence engendre la violence, et il faut beaucoup de sagesse pour résister à ce cercle vicieux.

Maintenant que tu as lu cet « Essentiel Milan Junior », qu'en as-tu retenu ? Ce quiz te permettra de tester tes connaissances. Attention, parfois plusieurs réponses sont possibles.

1 En Grèce, les jeux Olympiques étaient organisés :
A en l'honneur :
des meilleurs sportifs.
B de Zeus.
C d'Héphaïstos.

2 Comment s'appelle l'extermination des juifs par les nazis lors de la Seconde Guerre mondiale ?
A La Shoah.
B La bar-mitsva.
C La ketouba.

3 Quand les Aztèques ont vu les Espagnols pour la première fois, ils ont cru que c'était :
A des monstres.
B des extraterrestres.
C des dieux.

4 Durant la préhistoire, les hommes enterraient déjà leurs morts.
A Vrai.
B Faux.

5 Chez les Égyptiens, Anubis était le dieu :
A des chasseurs.
B du soleil.
C de l'embaumement.

6 Quelle a été la première religion monothéiste ?
A Le christianisme.
B Le judaïsme

7 Qui a créé les Églises réformées, aussi appelées protestantes ?
A Martin Luther.
B Jean Calvin.
C Jean-Paul II.

8 Siddharta Gautama est le vrai nom de Bouddha.
A Vrai.
B Faux.

9 La religion officielle de la France a longtemps été :
A le judaïsme.
B le protestantisme.
C le catholicisme.

10 Jérusalem est une ville sainte pour les :
A chrétiens.
B musulmans.
C juifs.

11 Pendant le ramadan, les musulmans doivent :
A manger seulement le jour.
B manger seulement la nuit.
C ne pas manger du tout.

12 Les hindous font brûler le corps de leurs morts.
A Vrai.
B Faux.

Pour t'aider dans ton exposé

Que le professeur te demande de choisir un thème d'exposé ou que tu prennes l'initiative de le lui proposer, tu dois l'avoir toi-même bien compris et respecter quelques règles simples.

1 Le choix du sujet

Est-ce que j'aurai une documentation suffisante ?

Tu ne peux pas parler de tous les thèmes traités dans cet « Essentiel Milan Junior » en un seul exposé. Choisis un sujet plus limité, comme « La religion des Égyptiens » ou « Les religions en France ». Va à la pêche aux informations : en allant dans la bibliothèque de ta ville, au CDI, et en utilisant la bibliographie de la page 36.

2 La prise de notes

Est-ce que je dois tout lire ?

Tu ne peux pas lire en entier tous les livres. Utilise leur sommaire ou leur index pour trouver les pages qui se rapportent à ton sujet. Attention, si tu utilises Internet, il ne suffit pas d'imprimer une page d'encyclopédie pour que ton exposé soit fini ! L'organisation, les idées, les phrases, tout doit vraiment être de toi !

Comment vais-je prendre des notes ?

Une fois que tu as réuni ta documentation, note sur des feuilles les informations les plus intéressantes, en les résumant. Fais un plan précis en détaillant les différentes parties (une feuille par partie).

3 Comment conquérir ton public

Ton exposé est prêt ?

Teste-le une première fois sur un membre de ta famille. Il pourra t'aider à corriger tes défauts. Une fois devant la classe, annonce d'abord ton plan (tu peux l'écrire au tableau). Ne parle pas trop vite. Au lieu de lire tes notes, regarde ton public. Tu peux aussi montrer des photos et faire circuler des documents.

Introduire un débat

Il peut être intéressant d'élargir le sujet en faisant participer les autres élèves. Mais attention : n'oublie pas que certains sujets touchant aux religions sont très sensibles (par exemple le conflit entre Israël et les Palestiniens). Il s'agit de réfléchir ensemble à des problèmes qui touchent à la foi, non de clamer des convictions.

Pour aller plus loin

Des livres

Pour trouver des informations générales

Tu peux consulter des encyclopédies grand public, comme ***Encarta*** ou l'encyclopédie ***Atlas***. Tu les trouveras en bibliothèque ou dans le CDI de ton collège. Certaines sont également accessibles sur Internet gratuitement **www.webencyclo.fr**

Des textes généraux sur les religions spécialement écrits pour la jeunesse

- ***Les dieux et Dieu,*** coll. « Les Goûters philo », Milan.
- ***Les Religions expliquées à ma fille,*** Roger-Pol Droit, Seuil. Une réflexion claire, qui va à l'essentiel, sur ce que sont les religions.
- ***Le Livre des religions,*** coll. « Découvertes Cadet », Gallimard.
- ***Une autre histoire des religions,*** coll. « Découvertes Gallimard », Gallimard.
- ***Les Religions du monde,*** coll. « Encyclopédie des jeunes », Larousse. Un panorama des religions dans le monde, y compris les religions disparues.
- ***Dieux, mythes et héros,*** Neil Philip, coll. « Les Yeux de la découverte », Gallimard. Pour découvrir l'extraordinaire diversité des dieux selon les religions, mais aussi leurs fonctions, qui parfois se ressemblent.
- ***La Petite Encyclopédie des religions,*** sous la direction de Charles Baladier et Jean-Pierre Lapierre, Regard/RMN. Un ouvrage lumineux, écrit par des spécialistes de chaque religion, et remarquablement illustré.
- ***L'Atlas des religions,*** Plon-Mame.

Il existe aussi beaucoup d'ouvrages pour enfants consacrés à des sujets plus précis. En voici quelques-uns :

Collection « **Les religions des hommes** », Cerf/Magnard, avec un texte clair et une belle iconographie : ***L'Islam*** (Julien Ries, 2000), ***Le Catholicisme*** (Julien Ries, 2000) et aussi ***L'Homme religieux, L'Hindouisme, Le Judaïsme, Le Taoïsme, La Religion des Indiens Navajos, L'Église orthodoxe, Le Protestantisme.***

- ***Bouddha et le bouddhisme,*** Marylène Bellenger, coll. « Regard d'aujourd'hui », Mango, 1998.
- ***À Jérusalem au temps de Jésus,*** Jocelyne Ajchenbaum, Casterman, 2000.
- ***Sur les traces de Moïse,*** Pierre Chavot, Gallimard, 2001.

Pour t'informer sur l'actualité, les conflits dans lesquels les religions entrent en jeu, tu peux lire des périodiques adaptés à ton âge :

- ***Les Clés de l'actualité Junior.***
- ***Mon quotidien.***

Autres pistes

Les CD-Rom du Louvre, pour te familiariser avec les thèmes religieux dans l'art (RMN).
Site Internet du musée du Louvre : **www.louvre.fr**

Index

Réponses au quiz

1 B
2 A
3 C
4 A
5 C
6 B
7 A et B
8 A
9 C
10 A, B et C
11 B
12 A

Responsable éditorial : Bernard Garaude
Directeur de collection : Dominique Auzel
Assistante d'édition : Anne Vila
Correction : Élisée Georgev
Iconographie : Sandrine Batlle, Anne Lauprète
Conception graphique : Anne Heym
Maquette : Isocèle
Couverture : Bruno Douin

Pour Charles Baladier

Crédit photo :

Couverture : (haut) © B. Krist - Corbis / (bas) © C.P.P. - Ciric / (dos) © F. Guillaumet
p. 3 : © P. Massacret - Milan Presse, © Milan /
p. 4 : © P. Massacret - Milan Presse / pp. 4-5 : © Milan
p. 6 : © J.-C. Pertuzé / p. 7 : © P. Massacret - Milan Presse / p. 8 : © AKG Paris / p. 9 : © Ph. Lissac - Ciric
p. 10 : © Stone Les - Sygma / p. 11 : © Bouvet - Sygma
p. 12 : © F. Guillaumet / p. 13 : © Leemage / p. 14 : © Stone Les - Sygma / p. 15 : © Explorer / p. 16 : © Sygma-Baldev / p. 17 : © O. Franken - Corbis / pp. 18-19 : © Isocèle
p. 20 : © P. Thebault - Ciric / p. 21 : © É. Oudin
p. 22 : © Giraudon / p. 23 : © Sygma - Gyori /
p. 24 : © J. P. Pouteau - Ciric / p. 25 : © S. Lehr - Ciric
p. 26 : (haut) © Stone Les - Sygma, (bas) © Y. Arthus-Bertrand - Corbis / p. 27 : (haut) © S. Lehr - Ciric, (bas) © Lewis - Photopress - Sygma / p. 28 : © J.-C. Pertuzé / p. 29 : © Harlingue - Roger Viollet
p. 30 : © J.-L. Charmet - Explorer / p. 32 : © P. Massacret - Milan Presse / p. 33 : © M. Regis - Ciric

300, rue Léon-Joulin,
31100 Toulouse France

Dépôt légal : février 2003.
ISBN : 2-7459-0878-2
Imprimé en Espagne.

Derniers titres parus

2. L'Égypte au temps des pharaons
Madeleine Michaux

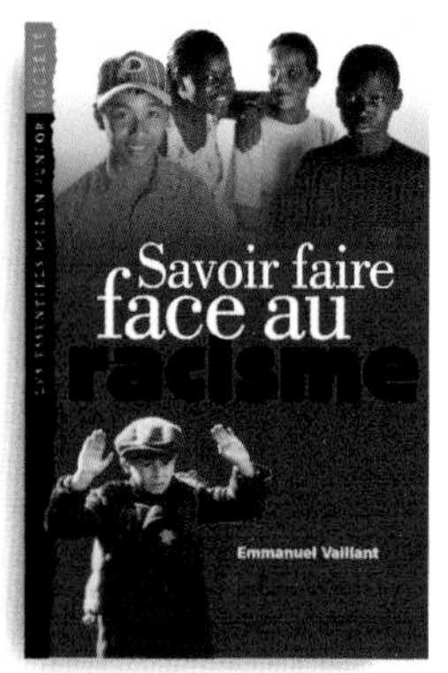

9. Savoir faire face au racisme
Emmanuel Vaillant

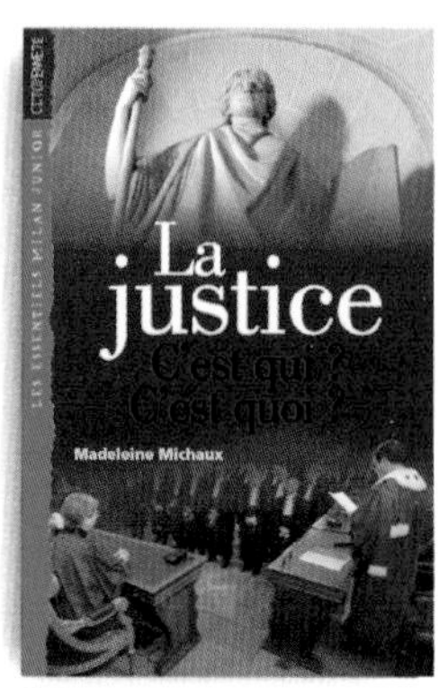

28. La justice.
C'est qui ? C'est quoi ?
Madeleine Michaux

30. Télé : ouvre l'œil !
Magali Clausener-Petit,
Pascal Petit

34. Joie, tristesse, jalousie... Pourquoi tant d'émotions ?
Véronique Corgibet